# 신기한 스쿨 버스 키즈 Kids

## ❶ 케이크에 먹히다 — 부엌에서 찾는 화학의 원리

조애너 콜 글·브루스 디건 그림/ 이강환 옮김

# 신기한 스쿨 버스 Kids

**❶ 케이크에 먹히다 — 부엌에서 찾는 화학의 원리**

조애너 콜 글 · 브루스 디건 그림/ 이강환 옮김

1판 1쇄 찍음—2001년 11월 1일. 1판 1쇄 펴냄—2001년 11월 12일

펴낸이 박상희 펴낸곳 (주)비룡소 출판등록 1994. 3. 17. (제16-849호)

편집 서영옥 · 박지은 · 신한샘 · 정은정 · 김유리 · 유수미 · 박희정 미술 정희숙 · 권영은 · 이수연 · 배은실

저작권 남유선 · 노아모 제작 박성래 · 조진호 · 임지헌

주소 135-120 서울 강남구 신사동 506 강남출판문화센터 5층

전화 영업(통신판매) 515-2000(내선 1) 팩스 515-2007 편집 3443-4318~9 홈페이지 www.bir.co.kr

ISBN 89-491-5024-7 74400 / ISBN 89-491-5023-9(세트)

우리 반 담임 선생님인 프리즐 선생님은 항상 우리를 놀라게 해요. 그래서 프리즐 선생님의 생일에는 우리가 선생님을 놀래 주기로 했어요. 우리는 거창한 파티를 계획했어요. 풍선, 리본, 색종이에 뿔피리까지 준비했답니다.

"이만하면 준비는 완벽해." 카를로스가 말했습니다.

"아니야, 뭔가 빠진 것 같아. 그런데 그게 뭘까?" 아널드는 중얼거렸어요.

파티 준비를 하지 않는 사람은 도로시 앤뿐이었어요. 도로시 앤은 화학 실험을 하느라 바빴거든요.

"이런 때에 뭘 하고 있는 거야?" 카를로스가 물었습니다.

도로시 앤이 설명했습니다. "물, 모래 그리고 시멘트를 섞고 있어. 그러면 콘크리트라는 새로운 물질이 만들어져. 이게 바로 화학이야!"

그 때 카를로스가 소리쳤어요. "뭐가 빠졌는지 알았어! 바로 생일 케이크야!"

우리는 프리즐 선생님의 생일 파티를 잠시 미루기로 했어요. 말이 안 되잖아요? 생일 케이크 없는 생일 파티가 어디 있어요?

그 때 프리즐 선생님이 교실로 들어오더니 우리의 실망한 표정을 보며 말했습니다. "소식을 벌써 들었나 보군요. 스쿨 버스의 상태가 좋지 않아서 제과점에는 갈 수가 없을 것 같아요. 아무래도 화학 견학은 취소해야 될 것 같아요."

"제과점이요? 제과점이 화학하고 무슨 상관이 있어요?" 랠프가 물었습니다.

랠프야, 갑자기 화학이 좋아지지?

"제과점은 조그만 화학 공장과 같아요." 프리즐 선생님이 말했습니다.

"빵을 만드는 게 바로 화학이야. 여러 가지 재료를 섞어서 새로운 걸 만들어 내니까." 도로시 앤이 덧붙였습니다.

그 순간 카를로스는 제과점에서 만들어지는 것이 무엇인지 생각났어요. 바로 케이크예요! "프리즐 선생님, 우리는 제과점에 꼭 가야 해요! 화학 공장 견학이 빠진 화학 수업이 어디 있어요?"

"아마 스쿨 버스로 제과점까지 갈 수 있을 거예요. 자! 여러분, 견학해 볼까요?" 프리즐 선생님이 말했습니다.

우리는 스쿨 버스를 타고 제과점까지는 잘 왔어요. 하지만
제과점에 도착하자마자, 스쿨 버스가 공중으로 확 튀어오르더니

쭈욱 늘어났다가

장난감 자동차만하게 줄어들었어요. 우리가 버스 안에 타고 있는 채로요!
"이제 제과점 안으로 어떻게 들어가죠?" 완다가 물었습니다.

스쿨 버스가 고장이
나서 작아진 걸까?

글쎄……. 우리 스쿨
버스는 원래 이랬잖아!

하지만 프리즐 선생님은 전혀 걱정하지 않았어요. 선생님이 어떤 단추를 누르자 스쿨 버스는 제과점 문에 난 우편물 구멍을 통해 쉽게 제과점 안으로 들어갔어요.

제과점 안에는 제빵사 아저씨와 손님들이 있었어요.

스쿨 버스가 제과점 안을 날아다니는 동안, 우리는 진열된 케이크들을 유심히 살펴봤어요. 그런데 아무리 찾아봐도 초콜릿 케이크가 없었어요!

"어떡하지? 프리즐 선생님은 초콜릿 케이크를 좋아하시는데." 아널드가 속삭였습니다.

카를로스가 곰곰이 생각하더니 말했습니다. "우리가 케이크를 만들어야겠어."

오늘의 마지막 초콜릿 케이크예요!

"그건 정말 멋진 화학 실험이 될 거야!" 도로시 앤이 말했습니다.

"그런데 어떻게 프리즐 선생님 몰래 만들지? 우리가 생일 케이크를 만드는 걸 선생님이 알면 안 되잖아." 완다가 말했습니다.

이 때 카를로스가 제과점 옆에 자동차 부품 가게가 있다는 사실을 생각해 냈어요. 카를로스는 프리즐 선생님에게 그 가게에 가면 스쿨 버스를 고치는 데 필요한 부품을 구할 수 있을 거라고 말했어요. 프리즐 선생님은 기뻐하며 로켓 가방을 메고 날아올랐습니다. 다행히 선생님은 리즈를 데려가지 않았어요.

제빵사 아저씨는 스쿨 버스가 부엌을 날아다니는 것을 보더니 화를 냈어요.
스쿨 버스가 나방인 줄 알았나 봐요. 아저씨는 파리채를 들고 우리를 쫓아서
부엌으로 들어왔어요. 리즈가 재빨리 커다란 단지들 뒤쪽으로 스쿨 버스를
착륙시켰어요. 후유―, 다행히 아저씨가 우리를 보지 못했어요.

때마침 손님들이 가게에 들어왔어요. 아저씨는 우리를 찾는 걸 그만두고 밖으로 나갔어요.
"이리 와 봐, 할 일이 있어." 카를로스가 말했습니다. 카를로스는 요리책을 읽기 시작했어
요. "우선 재료를 준비해야 해."

우리는 모두 재료를 모으기 시작했어요. 랠프가 달걀 두 개를 가지고 왔어요. 그런데 달걀 한 개가 제멋대로 굴러가 버렸어요. 완다와 팀은 밀가루와 설탕을 가지고 왔어요. 리즈는 소금의 양을 재고 있었어요.

아널드는 낑낑거리며 베이킹 파우더를 옮기고 있었어요. 아널드는 처음에는 도로시 앤과 부딪히더니 다음에는 식초병을 쓰러뜨렸어요. 베이킹 파우더 위에 식초가 쏟아지자 정말 놀라운 일이 일어났어요!

키샤가 밀가루에 우유를 부었어요. 피비는 어디선가 버터를 구해 왔지요.
그리고 랠프가 때마침 굴러간 달걀을 찾아 왔어요.

바로 그 때, 프리즐 선생님이 돌아왔어요. 도로시 앤은 재빨리 선생님이 우리에게 신경쓰지 않도록 할 방법을 생각해 냈어요. "프리즐 선생님, 제가 화학 실험하는 것을 좀 도와 주세요!" 도로시 앤이 말했습니다. 프리즐 선생님과 도로시 앤은 식초와 베이킹 파우더를 가지고 화학 실험을 하기 시작했어요.

이 때 우리들은 재료의 양을 재느라고 고생하고 있었어요. 재료들이 우리보다 훨씬 더 컸으니까요! "케이크 만드는 일은 너무 힘든 것 같아. 게다가 우리는 숟가락 크기의 반밖에 안 되잖아!" 아널드가 투덜거렸어요.

"하지만 더 힘들어질 수도 있어." 랠프가 아널드에게 말했습니다.

그 순간 정말로 사건이 벌어졌어요. 스쿨 버스가 다시 덜컹거리며 날아오르더니 더 작아져 버렸지 뭐예요? 우리도 함께 말이예요! 이제 작은 소금과 설탕 알갱이들이 벽돌이나 다이아몬드처럼 커다랗게 보였어요.

"빨리 해. 제빵사 아저씨가 돌아오기 전에 케이크를 완성해야 해." 카를로스가 소리쳤습니다. 맞는 말이에요. 우리에겐 시간이 얼마 없었어요. 우리는 스쿨 버스에 올라타서 재료를 모아 섞기 시작했어요. 마지막으로 가장 중요하고 가장 맛있는 재료를 넣었어요. 바로 초콜릿이죠. 사실 일은 스쿨 버스가 다 한 셈이에요.

그 때 제빵사 아저씨가 다시 부엌으로 들어왔어요. 아저씨는 재료들을 섞고 있는 스쿨 버스를 보더니 나방이 또 나타났다고 생각했어요. 아저씨는 벌레를 잡아 주는 회사에 전화를 했지요. 하지만 나방이 케이크를 만들고 있다는 말을 믿을 사람이 누가 있겠어요?

그러는 동안에도 도로시 앤과 프리즐 선생님은 화학 실험을 계속하고 있었어요. 잠시 후 선생님이 우리가 모두 어디에 있는지 물어봤지만 도로시 앤은 계속 질문을 했어요.

"식초 한 병에 베이킹 파우더 한 통을 몽땅 넣으면 어떻게 될까요?" 도로시 앤이 물었습니다.

프리즐 선생님도 궁금해 하며 말했습니다. "알 수 있는 방법은 하나뿐이지."

도로시 앤이 식초병에 베이킹 파우더를 몽땅 넣고 뚜껑을 닫았어요. 식초병에서 쉿— 소리가 났어요. 거품이 부글부글 나기 시작했어요! 바로 그 때 도로시 앤이 식초병의 입구에 풍선을 씌웠어요. 가스가 풍선 안으로 들어가서 풍선이 점점 더 커졌지요.

도로시 앤이 저걸 타고 날아가려나 봐.

"꼭 자동차 바퀴에 공기를 넣는 것 같아요." 도로시 앤이 말했습니다.

이 말을 듣자 프리즐 선생님은 스쿨 버스를 고치는 데 필요한 부품이 생각났어요.
"맞아, 스쿨 버스에는 새 바퀴가 필요해." 프리즐 선생님이 스쿨 버스의 바퀴를 사기
위해 자동차 부품 가게로 다시 날아가는 순간, 도로시 앤의 풍선이 뻥! 터졌어요. 하
지만 우리는 모두 기뻐했어요. 다행히 프리즐 선생님이 우리를 보지 못했거든요.

우리는 다시 일을 시작했어요.

"다음 단계는 재료들을 반죽하는 거야." 카를로스가 말했습니다.

다시 한 번, 스쿨 버스가 우리를 도왔어요. 스쿨 버스는 반죽기를 돌리며 날아올랐어요.

랠프는 요리사와 화학자가 정말 비슷하다고 생각했어요. "둘 다 적당한 양의 재료를 섞어서 새로운 것을 만들어 내잖아. 다른 점이라면 요리사는 자기가 만든 것을 먹어 볼 수 있다는 거지."

그러니까 맛이 문제야.

그래? 어디 한 번 맛 좀 볼까?

제빵사 아저씨가 다시 돌아오고 있었어요. 우린 서둘러야 했어요.
"반죽 속으로 숨어! 잠수!" 카를로스가 소리쳤습니다.
스쿨 버스는 반죽 속으로 뛰어들었어요.

아저씨는 반죽 그릇을 보더니 깜짝 놀랐어요. "내가 언제 이걸 만들었지? 건망증이 심해졌어!"
아저씨는 이상하다는 듯이 고개를 갸웃거리며 반죽을 오븐용 접시에 부어 오븐에 넣었어요.
반죽은 점점 뜨거워지기 시작했어요.

"왜 이렇게 덥지?" 완다가 소리쳤습니다.

"중대한 발표를 하겠습니다. 케이크를 만들기 위해 마지막으로 필요한 것은 '열' 입니다!"

카를로스가 말했습니다. 랠프가 설마 하는 생각에 물었어요. "카를로스, 그럼 여기는……?"

"그래! 우린 지금 오븐 안에 있는 거야!" 카를로스가 대답했습니다.

이 말은 우리도 케이크랑 같이 구워지고 있다는 얘기예요!

우리가 우왕좌왕하고 있을 때, 랠프가 반죽 속에서 뭔가 이상한 물체가 움직이고 있는 것을 발견했어요. 리즈가 스쿨 버스의 문을 열자 프리즐 선생님이 들어왔어요.

"퓨—! 열 차단막을 씌우는 것을 잊었나 보군요." 프리즐 선생님이 말했습니다.

리즈가 재빨리 단추를 누르자 열 차단막이 씌워졌어요. 후유—, 다행히 스쿨 버스 안의 온도가 점점 내려갔어요.

"내가 항상 말했죠, 뜨거운 것을 참을 수 없으면 오븐에서 빠져 나가라." 프리즐 선생님이 말했습니다.

"저기 봐! 반죽이 움직이고 있어." 피비가 소리쳤습니다.

"내 보고서에 따르면 베이킹 파우더는 거품을 만들어." 도로시 앤이 설명했습니다.

"반죽만 움직이고 있는 게 아니야." 아닐드가 중요한 사실을 발견했어요.

아닐드의 말이 맞았어요. 스쿨 버스도 함께 흔들리고 있었어요. 그리고 이상한 소리도 들렸어요.

"수증기야!" 카를로스가 말했습니다.

프리즐 선생님은 전혀 걱정하지 않았어요. "온도가 너무 뜨거우니까 반죽 속의 물이 증발하면서 거품을 만드는 거예요."

정말 열 받는군.

멀미할 것 같아.

완다가 또 새로운 사실을 발견했습니다. "반죽이 굳어지고 있는 것 같아!"
그건 케이크가 완성되었다는 뜻이에요.

"오, 안 돼! 우리가 만든 케이크가 우릴 먹어 버렸어!" 아널드가 소리쳤습니다.

상황이 아주 나빴어요. 프리즐 선생님이 조종간들을 움직여 보았지만 아무것도
움직이지 않았어요.

"이걸로 우리의 견학도 끝이야!" 아널드가 울먹이며 말했습니다.

우리가 케이크
에게 먹히다니!

"잠깐만! 좋은 생각이 났어. 베이킹 파우더와 식초 남은 거 있지?" 도로시 앤이 말했습니다.

다행히 조금 남아 있었어요.

"생각해 봐, 베이킹 파우더와 식초를 섞으면⋯⋯." 도로시 앤이 말을 끝내기도 전에 카를로스가 말했습니다. "가스가 생기지! 그 가스를 이용하면 우리는 여기에서 탈출할 수 있을 거야."

바로 그거예요. 카를로스가 베이킹 파우더와 식초를 섞어 병에 넣었어요. 그리고 병 끝 부분에 풍선을 씌웠지요. 도로시 앤이 그 병을 스쿨 버스 뒤에 놓았어요. 우리는 모두 안전띠를 맸어요.

제빵사 아저씨가 케이크를 오븐에서 꺼내는 순간, 스쿨 버스는 케이크 밖으로 튀어 나왔어요. 아저씨가 깜짝 놀라 스쿨 버스를 쫓아왔어요. 하지만 우리는 잽싸게 우편물 구멍을 통해 달아났어요.

우리는 학교로 돌아왔어요. 모든 것이 원래대로 돌아왔지요. 프리즐 선생님과 함께 있으면서 이렇게 정상일 때도 드물어요. 우리는 멋진 파티를 열었습니다. 선생님이 정말로 놀랐는지는 모르겠지만 어쨌든 아주 기뻐했어요. "여러분, 어디에서 이렇게 멋진 케이크를 구했죠?" 프리즐 선생님이 묻자 우리는 모두 킥킥 웃었습니다.

카를로스가 설명했습니다. "제과점 아저씨가 그냥 주셨어요. 이 케이크에…… 나방 같은 뭔가가…… 빠졌었대요."

프리즐 선생님이 웃으며 말했습니다. "이 케이크가 바로 화학이에요."

정말 그랬어요!

**알버트** : 여기가 신기한 스쿨 버스가 왔었던 제과점인가요?

**제빵사** : 그래! 바로 우리 가게란다!

**알버트** : 와—! 도넛들이 참 맛있어 보이네요. 그런데 이 책에는 중요한 것이 하나 빠져
있어요. 제가 그것을 이야기해 드리면 도넛 하나를 주실 수 있나요?

**제빵사** : 빠뜨린 게 있다고? 그럴 리 없어!

**알버트** : 있어요. 그건……

**제빵사** : 혹시 도로시 앤이 화학 실험을 하기에는 너무 어리다고 말하려는 거니?

**알버트** : 아니에요. 도로시 앤은 프리즐 선생님과 함께 있었죠. 화학 실험을 할 때에는
어른과 함께 해야 한다는 건 누구나 알고 있는 거예요. 그리고 도로시 앤은
보호 안경도 끼고 있었어요.

**제빵사** : 그럼 베이킹 파우더가 화학 약품이라는 거 말이니? 사람들은 화학 약품을 몸에
좋지 않다고 생각한다는 거지? 이 답에 도넛 두 개를 걸지.

**알버트** : 그것도 아니에요. 어떤 화학 약품들은 몸에 좋아요. 어디에 사용하느냐에
따라 다르죠.

**제빵사** : 좋아. 그럼 소금이나 설탕이 벽돌이나 다이아몬드만하게 보일 리가 없다는 말을
할 거라는 데에 도넛 세 개를 걸지.

**알버트** : 그건 반 아이들은 아주 작아졌기 때문이에요.

**제빵사** : 너 지금 장난치고 있구나. 네가 빠뜨린 것을 말할 수 없다는 데에
여기 있는 도넛을 몽땅 걸지.

**알버트** : 이 책에는 프리즐 선생님이 몇 살인지 나와 있지 않아요!

**제빵사** : 맙소사! 그래, 네 말이 맞아!

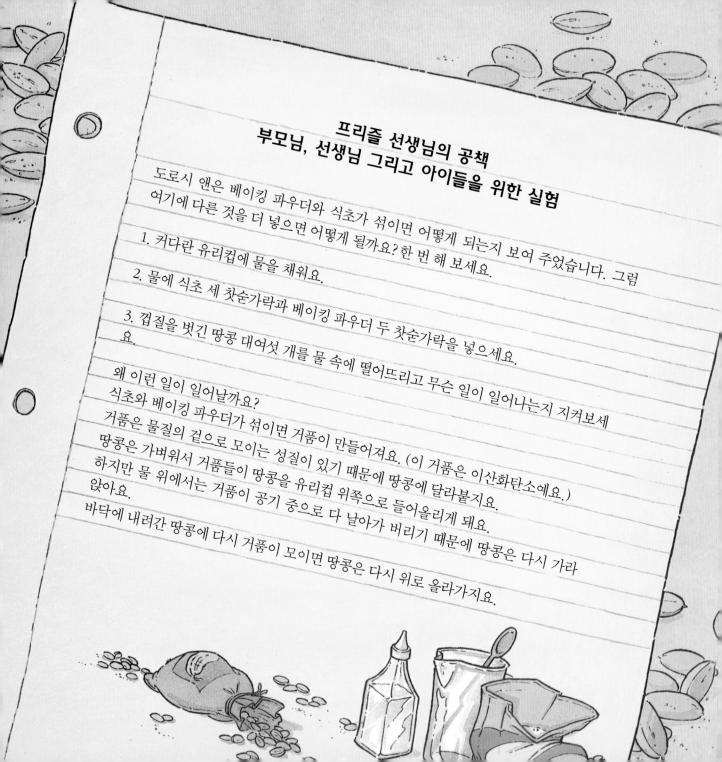

# 프리즐 선생님의 공책
## 부모님, 선생님 그리고 아이들을 위한 실험

도로시 앤은 베이킹 파우더와 식초가 섞이면 어떻게 되는지 보여 주었습니다. 그럼 여기에 다른 것을 더 넣으면 어떻게 될까요? 한 번 해 보세요.

1. 커다란 유리컵에 물을 채워요.

2. 물에 식초 세 찻숟가락과 베이킹 파우더 두 찻숟가락을 넣으세요.

3. 껍질을 벗긴 땅콩 대여섯 개를 물 속에 떨어뜨리고 무슨 일이 일어나는지 지켜보세요.

왜 이런 일이 일어날까요?

식초와 베이킹 파우더가 섞이면 거품이 만들어져요. (이 거품은 이산화탄소예요.)

거품은 물질의 겉으로 모이는 성질이 있기 때문에 땅콩에 달라붙지요.

땅콩은 가벼워서 거품들이 땅콩을 유리컵 위쪽으로 들어올리게 돼요.

하지만 물 위에서는 거품이 공기 중으로 다 날아가 버리기 때문에 땅콩은 다시 가라앉아요.

바닥에 내려간 땅콩에 다시 거품이 모이면 땅콩은 다시 위로 올라가지요.

글쓴이 **조애너 콜**은《워싱턴 포스트》의 어린이 도서 협회에서 주는 논픽션 상과 어린이 책에 기여한 공로로 주는 데이비드 맥코드 문학상을 받았다.

그린이 **브루스 디건**은 30권 이상의 어린이 책에 그림을 그렸다.
대표작으로『세일어웨이 홈』,『잼베리』들이 있다.

옮긴이 **이강환**은 서울대학교 천문학과 박사 과정 중이다.
여러 권의「신기한 스쿨 버스」시리즈를 번역했다.